Meet big **H** and little h

Trace each letter with your finger and say its name.

H is for

hippo

H is also for

hat

helicopter

horse

hen

3

Hh Story

This **h**ippo is **h**aving a **h**ard day.
He lost **h**is **h**at!

He dropped **h**is toy **h**elicopter in a **h**uge **h**ole!

He **h**it **h**is **h**ead,
and it **h**urt a lot!

6

Can a **h**orse
and a **h**en **h**elp?

Yes, they can!
Hugs make the **h**ippo **h**appy.